MAD 2010

Pour Helen et ses chiens fous

Traduit de l'anglais par Anne de Bouchony

Mise en pages : Karine Benoit

ISBN : 978-2-07-061205-5
Titre original : *I Want My Light On!*
Publié par Andersen Press Ltd., Londres
© Tony Ross 2007, pour le texte et les illustrations
© Gallimard Jeunesse 2007, pour l'édition française
Numéro d'édition : 156203
Loi n° 49-956 du 16 juillet 1949
sur les publications destinées à la jeunesse
1er dépôt légal : août 2007
Dépôt légal : octobre 2007
Imprimé en Italie par Grafiche AZ

Je veux de la lumière !

Tony Ross

GALLIMARD JEUNESSE

La petite princesse aimait l'histoire du soir.

Mais elle n'aimait pas le noir.
– JE VEUX DE LA LUMIÈRE ! dit-elle.
– Pourquoi ? demanda son père.

– Parce qu'il y a des fantômes dans le noir, répondit-elle.
Sous mon lit, sûrement.

– Ne sois pas sotte, les fantômes n'existent pas,
dit papa. Et il n'y a rien non plus sous le lit.

– Ne sois pas sotte, les fantômes n'existent pas,
dit l'amiral. Et, s'il y en avait, le général s'en occuperait.

– Ne sois pas sotte, les fantômes n'existent pas, dit le docteur.
Et, s'il y en avait, la seule chose à faire serait de te moucher.

– JE VEUX QUAND MÊME DE LA LUMIÈRE !
dit la petite princesse.

– Pourquoi ? dit la gouvernante.
Tu vois, Nounours n'a pas peur du noir.

– Je n'ai pas tellement peur du noir ! disait la petite princesse.
J'ai plutôt peur des fantômes.

– Ne sois pas sotte, les fantômes n'existent pas, dit la gouvernante.
Et, s'il y en avait, ils seraient microscopiques, car je n'en ai jamais vu !

– Oui, Nounours, les fantômes doivent être microscopiques,
dit la petite princesse.

Et il faut faire attention à ne pas les écraser !

– Bonne nuit, dit la gouvernante…
et elle éteignit la lumière.

« Je parie que les fantômes ont peur du noir aussi »,
pensa la petite princesse.

– Ouh ouh ouh ouh! cria la petite princesse.
C'est vraiment un bruit de fantôme!

– Ouh ouh ouh ouh! cria le petit fantôme.
C'est vraiment un bruit de petite fille!

Alors la petite princesse se cacha sous son lit.

Le petit fantôme fit la même chose.

– Bouh ouh ouh ouh ! fit la petite princesse.

– Bouh ouh ouh ! fit le petit fantôme.

Et il repartit en courant tout en haut du château,
là où il vivait.

– MAMAN, MAMAN, J'AI VU UNE PETITE FILLE !

– Ne sois pas sot, dit sa mère. Les petites filles n'existent pas !
– JE VEUX QUAND MÊME DE LA LUMIÈRE ! dit le petit fantôme. On ne sait jamais.

La petite princesse en album
aux Éditions Gallimard Jeunesse

Je veux grandir !
Je veux manger !
Je veux une petite sœur !
Je ne veux pas aller à l'hôpital !
Je veux ma tétine !
Lave-toi les mains !
Je veux ma dent !
Je ne veux pas aller au lit !
Je veux ma maman !
Je veux un ami !
Je ne veux pas changer de maison !

Livre à rabats

Je veux mon cadeau !

En album tout carton
pour les petits

Je veux grandir !
Je veux manger !
Je veux une petite sœur !
Je veux ma tétine !

En Folio Benjamin

Je veux mon p'tipot !
Je veux grandir !
Je veux manger !
Je veux une petite sœur !
Je ne veux pas aller à l'hôpital !
Lave-toi les mains !
Je veux ma dent !

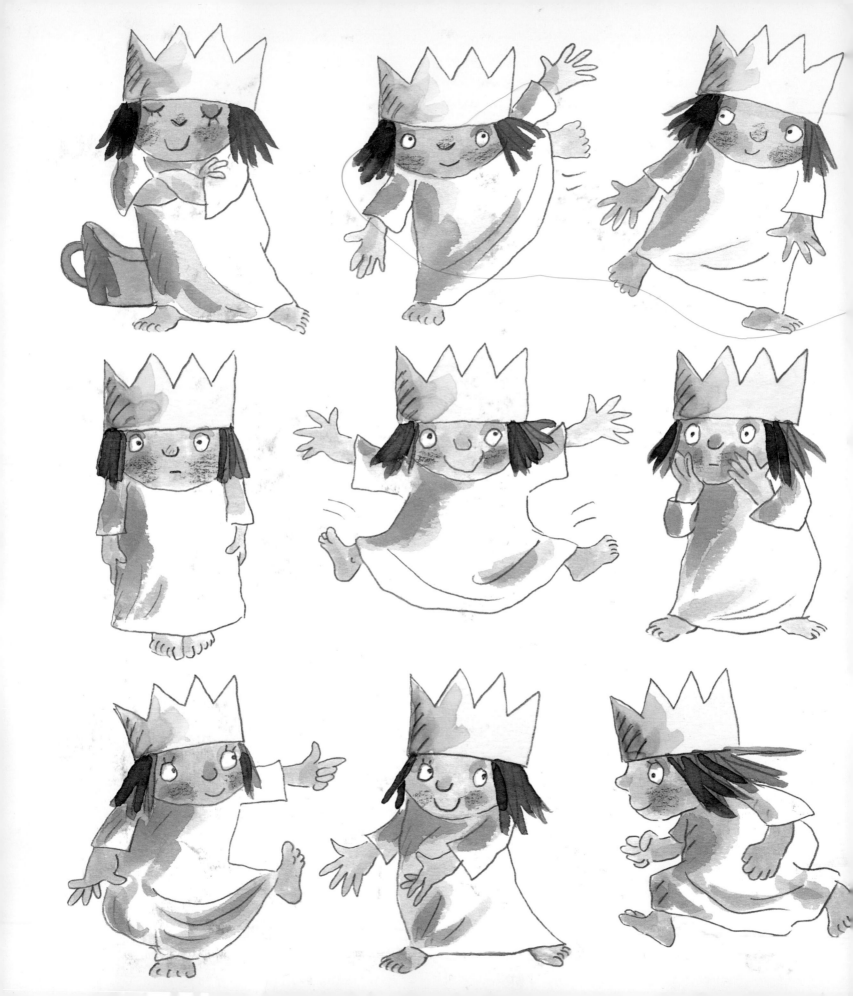